KYOTO GARDENS
京の庭

KYOTO

京の庭
GARDENS
Seasonal Images in Moss and Stone

写真　山本　建三
Photographs by Kenzo Yamamoto

文　伊藤ていじ
Text by Teiji Itoh

光村推古書院
MITSUMURA SUIKO SHOIN

本書は「京の意匠庭園」（昭和57年 7 月15日刊）の普及版として、国内・国外両用に新たに編集したものである。

This book was originally published in Japanese in 1982, under the title Kyo no Isho Tei-En.

KYOTO GARDENS

Seasonal Images in Moss and Stone

First Edition April 1989 by Mitsumura Suiko Shoin Co., Ltd.
Fuyacho-dori Nijo Agaru, Nakagyo-ku, Kyoto 604

Photographs: Kenzo Yamamoto
Text: Teiji Itoh
English translation: Nobunao Matsuyama

Copyright © 1989, Kenzo Yamamoto and Teiji Itoh
Printed in Japan

は じ め に

伊藤ていじ

　原始時代以来、庭というのはその定義がいかに変わろうと、どの地方にでも存在していたものだし、事実それぞれの地方特有の庭を成立させてきたのだと思う。なぜなら地方が違えば、気候・風土・地形・土質はもちろんのこと、宗教的信仰も社会構造も異なるからである。

　しかしそうした庭の中で、この千百年もの長い間、作庭のモデルとして生きつづけ、また常にわが国造園界の指導権を保持してきたのは、やはりなんといっても京の庭ではないかと思う。実際のところ、この千百年もの間に京の庭が変わったといえばごく僅かであろう。王朝時代の庭の意匠が否定され封建社会の庭が創造されたこともなかったし、明治の高官や実業家たちが創りあげた京の庭も、所詮は前時代からの継承であった。

　そういう意味では京の庭は洗練さを高めるに好都合ではあったけれど、革新的で独創的な庭を創造する機会に恵まれなかったかもしれない。しかしその保守性ゆえに京の庭は、その主体性を長く確保することができたのだと私は考えている。もちろん京の庭は、京以外の庭と違わざるをえない細部のあることは事実であるが、それでもなお各地の庭は、京の庭を目指して自らの庭を創りあげようとしてきたのもまた事実なのである。

　ここではひとりの京の写真家、山本建三が納得するもののみを画面におさめ、観賞よりも創る者の立場から本文を構成し、もって読者の観賞に新しい視点を提供しようと試みた。

PREFACE

Teiji Itoh

Gardens, however we may define them, have been especially set apart in every age and in every land, adapted to the soil, climate, and topography of the district, as well as the religious beliefs and the social structure of the people. But the gardens in Kyoto have been considered models for landscape gardens in Japan and as such have played a leading role in garden architecture for over one thousand one hundred years.

As a matter of fact gardens in Kyoto have suffered few changes. The gardens created in the Heian period were never abandoned or rejected by the feudal lords of later ages and the gardens constructed by the high officials and businessmen in the Meiji period were modeled after the gardens of previous ages.

In one sense this has meant that there has been little chance of creating gardens in a completely original design. But because of this conservatism the gardens of Kyoto have been able to preserve their characteristics. It is true that there are many characteristics which the gardens of Kyoto share with others in different areas. But this is partly because many of the gardens in other areas were constructed with an eye to catching up with the gardens of Kyoto.

This book presents the pictures of sections and details of gardens, which Mr. Kenzo Yamamoto, a photographer of Kyoto, considered to be the heart of the attraction of the gardens of Kyoto in the four seasons.

Translated by Nobunao Matsuyama

目　次
CONTENTS

京の意匠

春 *Spring*

庭園

興聖寺の杉苔　　洛南

Kosho-ji

雲龍院の敷石　洛東
Unryu-in

雲龍院の飛石　洛東
Unryu-in

雲龍院の切石敷　洛東

Unryu-in

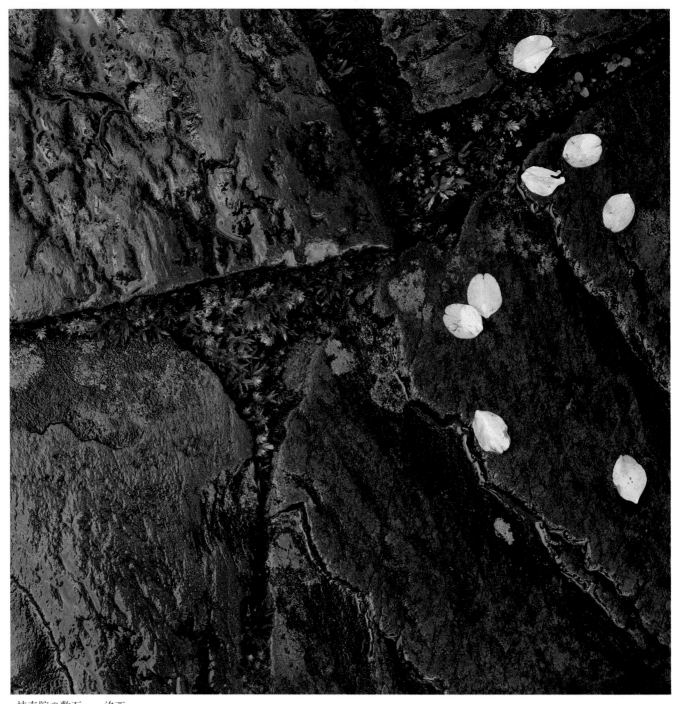

桂春院の敷石　洛西
Keishun-in

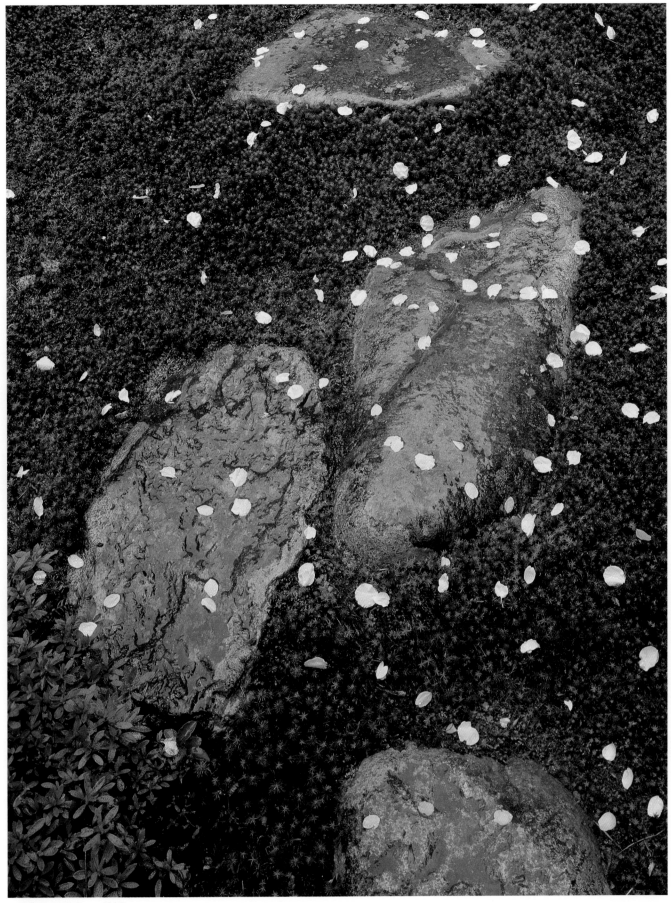

厭離庵の飛石　　洛西
Enri-an

桂春院の飛石　　洛西 ▶
Keishun-in

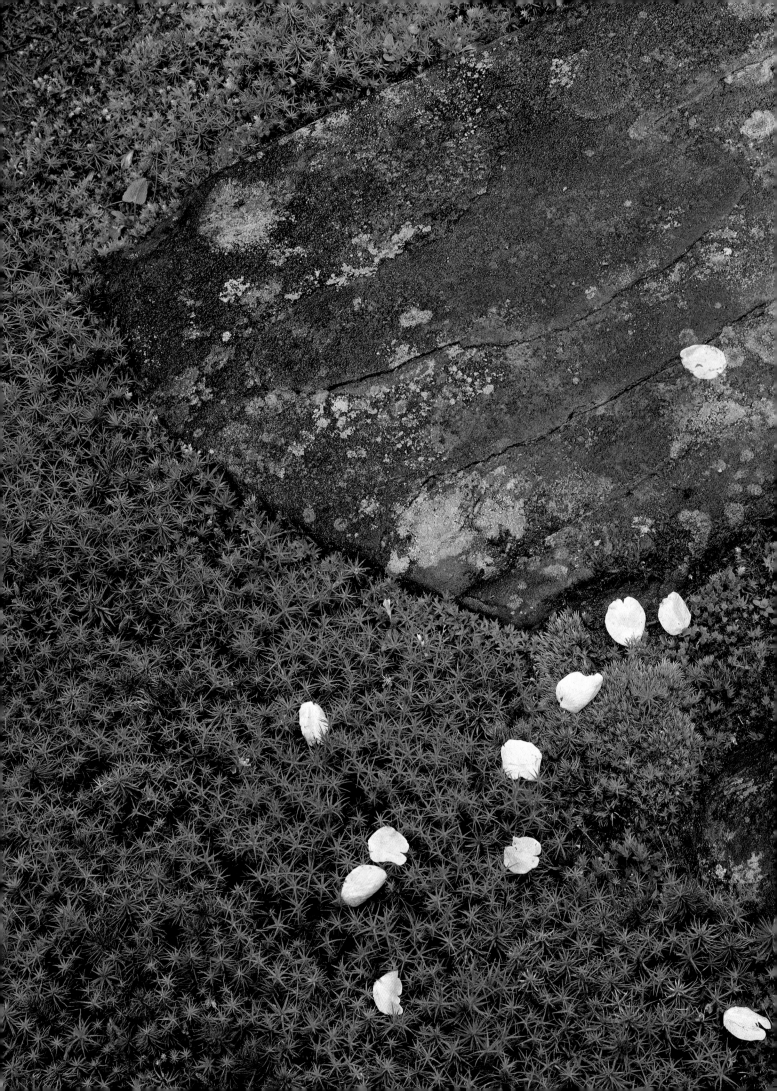

隨心院の晩春　洛南
Zuishin-in

修学院離宮の石段　　洛北
Shugakuin Imperial Villa

真如堂の馬酔木　洛東
Shinnyo-do

万福寺の落椿　　洛南
Manpuku-ji

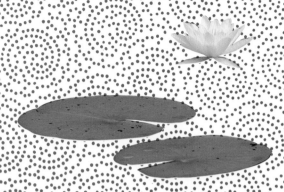

京の意匠 夏 *Summer*

庭園

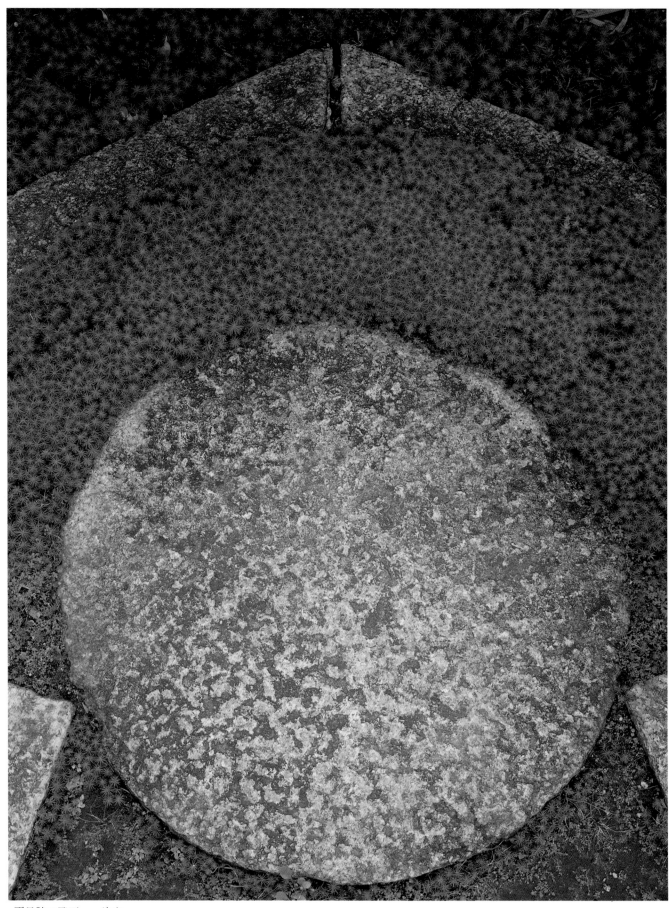

両足院の飛石　　洛東

Ryosoku-in

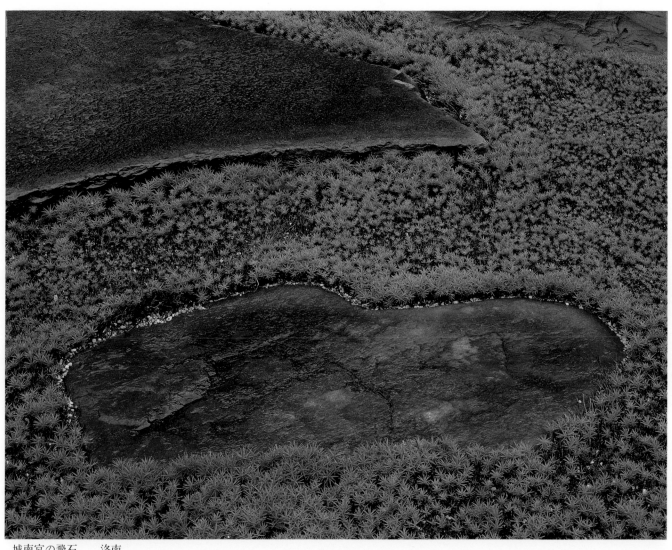

城南宮の飛石　　洛南
Jonan-gu

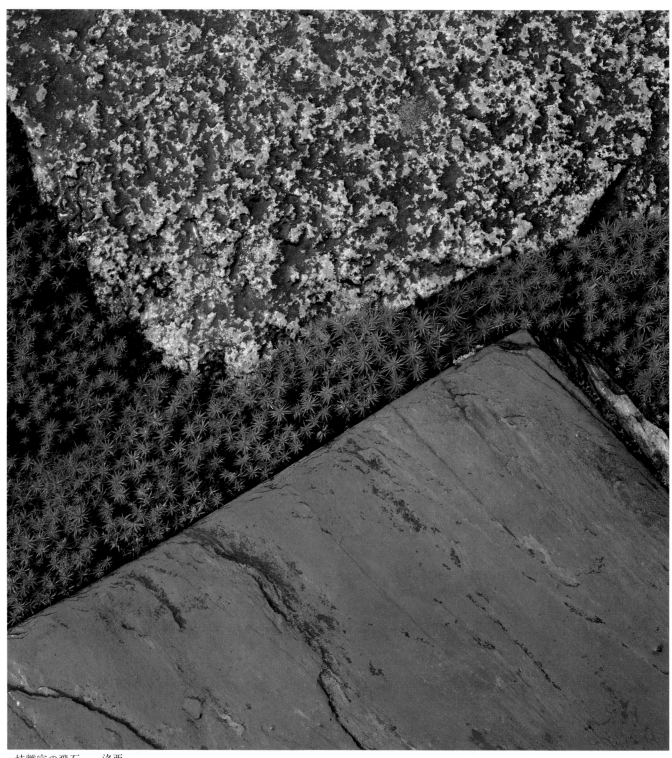

桂離宮の飛石　洛西
Katsura Imperial Villa

桂離宮の飛石　　洛西
Katsura Imperial Villa

孤篷庵の飛石　　洛中 ▶
Koho-an

久昌院の飛石　　洛東
Kyusho-in

成就院の飛石　洛東
Kiyomizudera Joju-in

東福寺の砂紋　洛東
Tofuku-ji

大仙院の亀石　　洛中
Daisen-in

仙洞御所の石浜　　洛中 ▶
Sento Imperial Palace

勧持院の飛石　　洛中
Kanji-in

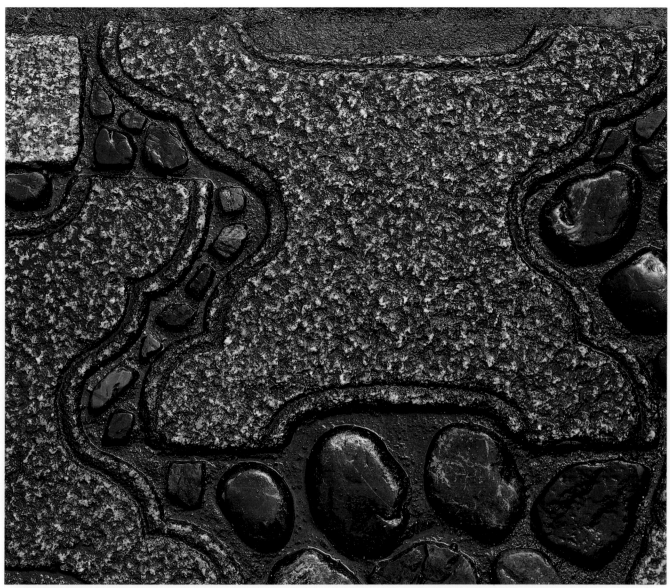

西本願寺の敷石　洛中
Nishi Hongan-ji

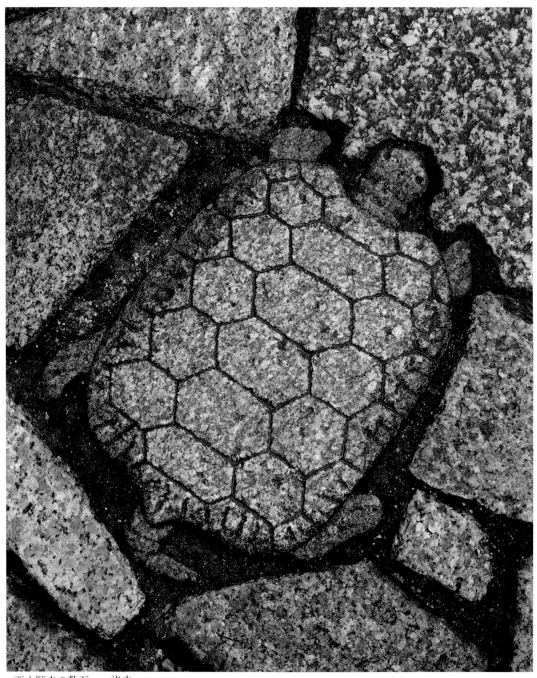

西本願寺の敷石　　洛中
Nishi Hongan-ji

西本願寺の敷石　洛中

Nishi Hongan-ji

桂離宮の延段　洛西
Katsura Imperial Villa

仙洞御所の飛石　　洛中
Sento Imperial Palace

玉林院の飛石　洛中
Gyokurin-in

真珠庵の飛石　洛中

Shinju-an

京の意匠 秋 庭園 *Autumm*

京都御所の石敷　洛中
Kyoto Imperial Palace

京都御所の短冊石と延段　　洛中
Kyoto Imperial Palace

桂離宮の飛石　　洛西
Katsura Imperial Villa

京都御所の飛石　　洛中
Kyoto Imperial Palace

仙洞御所の築山　　洛中
Sento Imperial Palace

厭離庵の関守石　　洛西

Enri-an

修学院離宮の飛石　　洛北
Shugakuin Imperial Villa

京都御所の延段　洛中
Kyoto Imperial Palace

光悦寺の飛石　洛北
Koetsu-ji

蓮華寺の苑路　洛北

Renge-ji

祇王寺の水路　　洛西
Gio-ji

修学院離宮の苑路　　洛北
Shugakuin Imperial Villa

仙洞御所の苑路　洛中

Sento Imperial Palace

仙洞御所の地苔　洛中▶

Sento Imperial Palace

修学院離宮の苑路　　洛北

Shugakuin Imperial Villa

光悦寺の苑路　洛北

Koetsu-ji

京の意匠 冬 庭園

Winter

上賀茂神社の立砂　洛北
Kamigamo-jinja

慈照寺の向月台　　洛東
Ginkaku-ji

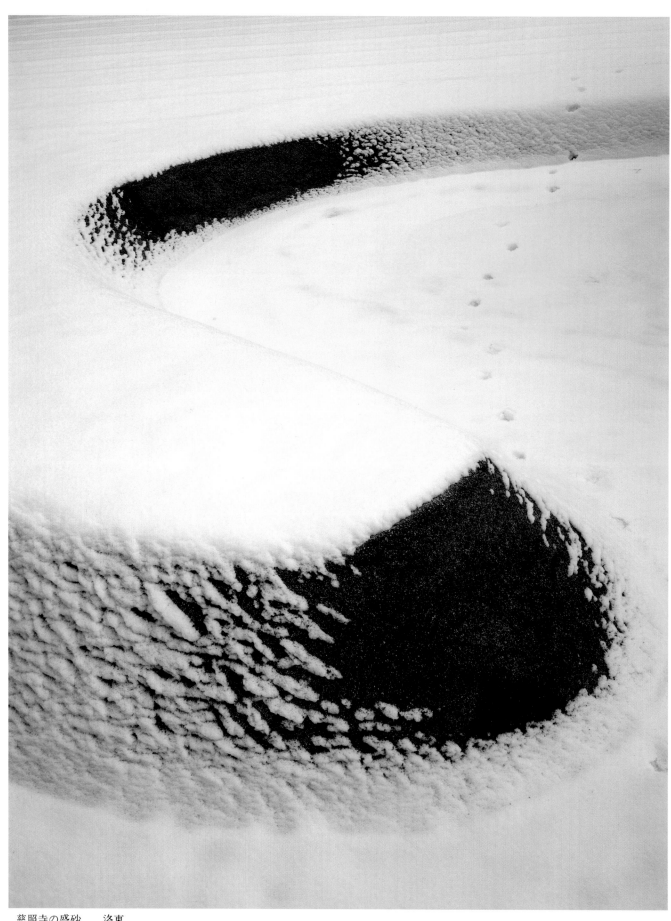

慈照寺の盛砂　洛東
Ginkaku-ji

慈氏院の砂紋　洛東

Jishi-in

金地院の砂紋　洛東 ▶

Konchi-in

南禅寺本坊の砂紋　　洛東

Nanzen-ji

大仙院南庭の砂紋　　洛中

Daisen-in

瑞峰院の砂紋　　洛中 ▶

Zuiho-in

瑞峰院の砂紋　　洛中
Zuiho-in

南禅寺本坊の砂紋　　洛東
Nanzen-ji

大徳寺の松　洛中
Daitoku-ji

京の庭

KYOTO
GARDENS

Seasonal Images in Moss and Stone

創る人から見た京の庭

伊藤ていじ＋奥田政友

これは庭師の奥田さんが日頃語っておられたものに、伊藤が若干補足しながらまとめて書きあげたものである。

芝と苔と環境の変化

　庭は、彫刻や絵画などと違って、生きていて刻々と変わり、上手に管理してやらないといけません。庭というのは、作ってから五年から十年たたないと、なじまないものでしょう。

　いったん形が出来あがったとしても、庭がなじんでくるまでの間、その後もですが、愛情の籠もった上手な管理がなされないと、庭は生きて行けないものなんですね。

　だから庭師としては庭を作る場合、ただ設計図通りに石を置き木を植えればそれでいいというわけには行かないのです。例えば、庭に植える木や苔や芝の選定一つ取ってみても、これらのものが、庭を取り囲む気候風土に合ったものかどうか、そういう判断というか、選定作業も生きた庭を作る上では、とても重要な要素となるわけなんです。

　だから当然、京都風の庭を作りたいからといって、京都の庭をそっくりそのまま東京や仙台に移し替えようとしても不可能な場合も起こってくるわけです。

　だいたい、完成された京都の庭というのは、芝や苔や木、あるいは石の選定一つにしても、何気なくそこにあるように見えて、実はその裏に、歴史的・環境的というか、様々に微妙な配慮や選択が隠されているものなのです。

　たとえば二条城などをみると、庭に芝が生えていますね。京都では関東などと違って、一般には苔が生えているのが普通ですから、芝は京都の庭にはなじまないとおっしゃる方がおられますが、私はそう思いません。

　桂離宮の広庭もそうですし仙洞御所の東福門院さんの庭だったあたりもそうですし、広くなければ無鄰庵にも修学院離宮にもあるでしょう。

　ところが二条城などに使ってある芝は、いま一般のおうちでよく使われる高麗芝ではなくて野芝なんです。野芝は、いまでも農村へ行けば堤防や土手にいくらでも生えているもので、これは秋口になると紅葉して美しいのです。だから桂離宮や仙洞御所などにみられるように、水ぎわの土おさえにこの野芝をよく使います。高麗芝は合わないのです。それに高麗は、少なくとも京都では明治以降のものだと思います。これに対して野芝は、日本では昔からあったもので、桃山時代以後の大名さんの庭にはよくみられるでしょう。例えば岡山の後楽園や高松の栗林公園などにはすばらしい芝庭があることは、よくご存じでしょう。

ついでだから申しあげますと、日本の芝は西洋の芝とまるでちがいますね。西洋の芝は一年中緑色していて、長いのも短いのもあるようですが、いつも刈りとってないと長く伸びすぎてしまうでしょう。ところが日本の芝は秋から冬にかけて葉が枯れて、とくに野芝などはいくらか紅葉するので、一年中緑色ということはありません。京都ではその点の面白味を大事にしてきたわけです。

　しかし、京都ではなんといっても芝よりも苔の方をよく使いますね。ひとことで京都の苔といっても種類はいくつかあります。盆地の京都の気候風土で、放っておいても自然に生えてくるのが地苔です。

　関東では土質や気候風土が苔にむいていませんから、殆ど育ちません。東海や北陸・山陰の大部分は、やり方によっては十分に育ちます。それにしても自然に生えてくる苔に親しみを感じて芝は京都にはなじまないのではないのかとおっしゃるのもよく分かります。

　ふつう苔や庭木や庭草には打水しますけれどこのほか寒肥を入れます。

　しかし苔には肥料はやらないのです。肥料をやらなくていいというよりは、やらない方がよいのです。お話にきくところによると、妙心寺の塔頭のひとつの杉苔が一度に真赤になり、全然みられないものになってしまった事があったというお話ですが、これはごく当たりまえの事です。たとえば化学肥料などを筋状にまいたとしますね。そうするとその筋のところだけが赤く変色してしまいます。これは紅葉とちがって見苦しいものです。

　だいたい杉苔は、どんなにうすくても肥料をやるのはよくないのです。そういう事をすると杉苔はどうしても伸びすぎます。今はたいていのうちは、水道の水で撒水するでしょう。また嵯峨野あたりの京都の郊外ですと、まだ農業用水や川の水が流れています。これを使って撒水することもあるでしょう。井戸をもっている方は井戸水を使われるでしょう。同じ水でもこれら三者の水で、杉苔の色や丈はぜんぜん違うのです。この中でいちばんよいのが井戸水で、これで撒水すると杉苔は短くて長くならず、緑色がきれいです。これが農業用水や川の水となると、どうしても肥料がまじっているのです。だから杉苔が長く立ちすぎるのです。これは、もやしと一緒です。だからこうして伸びた苔の上に足を踏み入れると、苔は倒れてしまって、もう立ち上がる力はありません。水道の水なんか肥料は殆どまじっていないと思いますけれど、

それでも駄目ですね。

　だから化学肥料を苔にやるなどということは、とんでもない事です。この頃は造園家でも、水と草木との関係についてそれくらいの見分けもつかない方が多いように思います。世の中というか、環境というか、ここでは水ですけれど、変わってきたでしょう。だから京都でも昔と同じやり方だと思ってやっていると、失敗することがおきます。そういう場合はよくよく見ていると、同じ伝統をうけついでいることにならないのですね。

変わっていく京の木

　京都には京都の風土というか京都の庭にふさわしい木があったわけです。大昔の京都はきっと照葉樹が一般的であったのでしょうけれど、それを人間が伐採していってその後に育ったのが、いま京都の山ならどこでもみられるアカマツなんでしょう。とすると京都の風土にあった木も、時代によってかなり違っていたのでしょうけれど、それでもいつの時代でも京都の庭にふさわしい木があったのだと思います。マツ・スギ・マキ・アオキ・ビシャコ・アセビ・アラカシやモッコクなどだと思います。

　ソテツは西本願寺や桂離宮などにありますがこれは桃山時代か江戸時代の始めに京都へ持ちこまれたものではないでしょうか。この木は十一月頃になると藁でまきこまなければなりません。元来は亜熱帯性の植物ですから、そのままでは冬は越せません。厄介なものですが、珍しいということはあったでしょう。

　もともと西南諸島のもので、桂離宮のソテツなどはたしか薩摩の殿様が八条宮に献上されたものと聞いています。

　明治になるとモミの木が使われるようになり

ます。これは山縣有朋の無鄰庵の庭に植えられたのが、京都では最初だと思います。今でも残っています。

　だいたいモミは東北地方の木ですから、京都にはなかったわけで、京都ではみられないような大木になる木です。多分それが評価された理由のひとつだと思います。このように大きくなる木は、町の中の個人庭園では使えません。しかし無鄰庵のような大きな別荘にはむくわけです。これからあと、修学院離宮を始めとして桂離宮や御所にも使われるようになるのは、庭がひろがったからだと思います。

　それに無鄰庵は南禅寺の近くで、園外には東山その他の松林がいくらでも望めます。だからそれを自分の庭にとりこんでいると思えば、松の木はすでにあるわけで、むしろそれを生かそうとするときには園内には松は必要でなくなりモミをその対照として持ってきたとも考えられるでしょう。要するに庭の中だけではなく、まわりの田園の景もよくのみこんで庭木を選び、その結果がモミを新しく導入することになったのだと思います。

　修学院離宮へ行きますと、ことに下の茶屋の付近にはモミの木がたくさんに植えられています。目立つところではなく他のものをひきたて

るような場所とか、明治になって下の茶屋や上の茶屋に塀をまわすようになって調子を新しく整える必要になったような所に、それがあるのです。

　モミは大木になるので個人庭園ではめったに植えられませんけれど、大庭園ではこのモミにより、かなり感じが変わったのではないでしょうか。このように京都では昔から新しい木をとり入れて京都風に使ってきたのです。

　このほか最近では、関東からのものとして、ケヤキ・シャラ・マンサク・クヌギなどがあります。もっともマンサクは東北地方の樹木ですし、クヌギは京都でも昔からなかったわけではないのですが実際に庭に入れられるものは関東から運ばれてくるものです。

　このようにみてくると、庭というものは昔のまま変わらぬところもありますが、昔の骨組みをもとにして、いろいろと連続的に変わっていった所もあるわけで、それはそれで庭が生きてきた証拠みたいなもので、それなりによいものです。庭は生きていますから、ひとつの形におさえつけておくなど、しようとしても出来るわけはありません。

　やはり自然を無視してはいけません。

　平安時代の藤原道長（966－1027）は前栽に桜

を植え、わが世の春を和歌に書いてうたったと
きいていますし、仙洞御所も小堀遠州が作った
ころは北池付近に、またあとになると南池付近
に桜を植えておりますね。今でも南池の石浜付
近では桜が咲きほころびます。しかし一般にこ
ういう花木は、京都の庭ではあまり植えません。
桜のうち植えるとすれば枝垂れ桜ぐらいではあ
りませんか。

　だいたい茶庭では花木を植えると、茶室内の
床の間の花入れの花とさしあうから使いません
ね。このように今日の京都の庭でこうした花木
を使わないのが普通なのは、さしあうのを嫌う
心からきたのだと思います。桃山時代に秀吉が
千利休の家の庭の朝顔の花が咲いて美しいのを
聞いて、見たいと所望したという有名な話があ
りますね。このとき利休は庭の朝顔の花を全部
もぎとってしまったそうですね。そしてたった
一輪だけ、床の間の花いけに活けておいたとい
う事です。これは利休が意地悪をしたわけでは
なく、その一輪の花が庭にあった沢山の花の代
表で、美しいものをより美しく印象強くみせよ
うとしたのでしょう。庭に花木を使わないとい
うのは、結局たどっていくとこのエピソード
にまで遡ることができるのではないでしょうか。

　しかし今は別の意味で、桜は嫌われています。

あとの始末がわるくていけません。ことに隣り
や道路との結界付近に植えると、虫が隣りの屋
敷に落ちてくるわけです。似たような意味で最
近ではカエデなどの落葉樹を嫌う人も多くなっ
てきました。常緑のものにしてくれといわれる
のです。落葉は掃除がたいへんだというのでし
ょう。落葉したあとの幹や枝の美しさを楽しめ
る余裕をもった人は、よほどの専門家か心の豊
かな人です。

　マツ、ことにアカマツは、京都では愛されて
きた庭木のひとつです。野村別邸などはアカマ
ツだけが植えてあって、これは見事なものです。
松葉から透かしてみえる南禅寺界隈の風景とい
い、松風のささやくような音といい、水に映る
赤い幹の影といい、私の好きな庭のひとつです。
また修学院離宮も桂離宮もマツが多いですね。

　もちろんマツは剪定が大変です。これには「鋏
すかす」と「手むしり」の二種類があります。
京都でやるのは「手むしり」の方で、葉をでき
るだけ多く摘んで、葉の間から向こうの風景が
透かしみえるようにするわけです。京都のよう
に園外の風景が美しいところには、その方がよ
いわけです。だからこれは京都らしい剪定法と
いうことになります。

　ところが関東では手むしりはむかないのです。

関東は京都より風が強いでしょう。ことに春先はそうでしょう。埃は立つし雨は斜め横から降ってくるでしょう。だから手むしりにして葉を透かしすぎると、強い風に残りの葉が吹きとばされて裸同然になってしまうのです。日本中どこでも同じことをやってもいいというわけではありません。心と風土とを考えて応用してもらわなければいけないのです。

また、一般に京都の町中には前栽が、必ずといってよいくらいあります。このごろ出版される本には坪庭の一種として紹介されています。たしかに坪庭には違いありませんが、京都ではあの奥まって家と家との間にある庭は前栽といっております。奈良もそうでしょう。ここには庭木や下草などが沢山に植えてあるわけです。どちらかというと京都の前栽は桃山時代の茶庭に似ていて「市中の陰」ということでしょうか。草木があって蹲踞や石燈籠があって茶庭そっくりです。

京都の前栽のわきには母屋と裏の座敷や倉などをつなぐ廊下があり、廊下ぎわは便所でしょう。だから、廊下ぎわには手水鉢か蹲踞があって手水を使うわけです。こういう庭だと水を自由に使えるわけです。それから暑い夏になると庭木が陽かげをつくり目を楽しませてくれます

し、打水しておけば庭木の間をわたってくる風は涼しく、暮らしよいというわけです。だから樹木の多い前栽は捨てられないのです。

京都のように夏がむし暑いところでは、こうしたいい所もあったわけです。それに京都の人は茶の湯をたしなまれるでしょう。茶の湯は単なる礼儀作法やお客のもてなし方のもとになるだけでなく、広くいえば教養の源にもなっていたわけです。そういう点でも都合がよかったわけです。もし砂と石だけの枯山水にしたら、もちろん枯れる木もありませんし管理もしやすいでしょうが、住み心地からいったら劣っていたと思いますし茶の湯文化につながりません。

京の庭石

　枯山水といえば、すぐに思い浮ぶのが、竜安寺だと思うのですが、竜安寺の石庭の石には、あのあたりの裏山を含めた山続きの丹波石と、それに紀州や四国の石とがまじっています。もっともここで四国石というのは四国が産地というのではなく、私たちがそう称しているだけです。真中の奥の方の築地塀ぎわの石で、二人の名前が彫りこんであるのがありますね。あれは丹波石です。あれは山などの敷地の境を示していた境界石だと思います。今でもたまに丹波からの石にはまじって出てきます。

　京都以外からの京都の石といえば、なんといっても紀州（和歌山県）の石が多いですね。江戸時代から前には四国の石は殆どありません。また、大徳寺大仙院の東庭に枯山水がありますね。あそこに滝を示している青石があるでしょう。あれは紀州の青石です。四国の愛媛県にも青石がありますが、肌や色などをみれば容易に区別がつきます。紀州のものは青が愛媛のものより濃いのです。

　石組みを別として石垣についていえば、積み方には二種類あります。ひとつは乱石積みとい

うもので、崩れ積みともいうものです。もうひとつは野面積みといわれるもので、これは表面が平らになるので平面積みとも称しています。この二つが伝統的なもので、京都ではいくらでもみられます。庭の中で使うのは、垣根の下の差石とか結界の差石くらいなものです。

　京都地方の石は京都だけで使われたのではなくて、各地に運ばれました。一番多かったのが石燈籠、次いで飛石・蹲踞・井筒などで、庭以外のものとしては玉垣や石段石などがあります。

　山陰から北陸・東北にかけての石燈籠をみると、殆ど全部が京都作りです。燈籠石にする花崗岩は、近畿や中国地方にいくらでも見られるのですが、例えば四国の庵治や摂津の御影のものは、固くて細工しにくいのです。その点京都のはそれだけ風化が進んでいて加工しやすいのです。そして京都というと、どうしても白川石になります。もちろん量は少なくなりましたが、白川石は今でもあります。最近は白川石とよく似たので吉野石というのがありますが、これは白川石のにせ物というのではありません。よくみれば両者の区別はつきます。

　また、京都の庭で使う飛石というと、なんといっても鞍馬石です。赤錆がついていてなんともいえない味わいがあります。

ご存知でしょうけれど、飛石は奇数個で打つでしょう。石同士の合端のなじみとか石の大きさとか、石と石との距離も大事ですが、要するに歩きよくなければいけないわけです。

飛石は歩きよく打って、しかも恰好もよくなければなりません。いわゆる「渡り」と「景」を大事にしなければなりません。そうすると沢山に飛石を集めておいて打たなければならないから、使わない無駄な石もでてくるのではないかと思われるでしょう。

しかし京都ではその心配はいりません。鞍馬は地元ですから設計図にあわせて自分で選り出して石を探し、必要なものだけ持って来ることが出来るわけです。このように、伝統的な京都の庭には、やはり京都という気候風土の中で育まれた自然の素材が、うまく生かされているんですね。

小川治兵衛の影響

京都の庭といっても話はつきませんが、現代の京都の庭について語る場合、どうしても欠かすことの出来ない一人の庭師を紹介させていただきます。

よく京都の作庭に何流というのはありますかときかれますが、少なくとも今日ではそういうことはありません。江戸時代の本たとえば北村援琴斎の『築山庭造傳』(1735)などをみますと四条流とか夢窓流とか遠州流などとありますし庭の歴史を書く方やお寺によっては何流です、とおっしゃいますが、私どもではそういう事をいっさい申しません。

いま申しあげた『築山庭造傳』をみると、室町時代の相阿彌の流れを汲んでいるとありますし、そののち文政十一年(1828)籬島軒秋里が援琴斎の本にちなんで『築山庭造傳後篇』というのを出していますが、このとき秋里は「庭造家元預」となっていて、何か作庭の流派があって、その家元と秋里とが関係あったかのように書かれていますからもしかしたら、昔は流派というのがあったのかもしれません。

京都でいま強いて言うとすれば「治兵衛さん

流」というくらいなものです。私たちは親しみをこめて「さん」をつけるのが普通です。もちろんここでの治兵衛さんとは、二代目小川治兵衛のことです。あるとすればそれくらいのものですが、私たちは、今も治兵衛さんを尊敬していますし、いろいろと影響をうけていると思います。

　いま私たちが京都の庭の古典のように思っている庭でさえ、殆ど全部が治兵衛さんによって相当変えられているのではないでしょうか。治兵衛さんというか植治というか、近代の京都の庭の歴史の中では、それくらい力のあった方なのです。例をあげれば限りありませんが、修学院離宮ですと上の茶屋の洗詩台のわきの谷間に滝がありますね。そこからは音はきこえるけれど、姿はみえない滝、雄滝といいましたか。あそこの滝石組と流れなどは植治さん風に組みかえられています。これは見ればすぐ分かります。特徴がありますからね。野村別邸の滝石組は、多分これより少しあとのものでしょうけれど、そっくりです。そのほかいくつか例があげられます。

　小川治兵衛さんが活躍されたのは、明治二十六年(1893)数え年でわずか三十四才の時に、あの平安神宮の神苑を築造されてからです。この小川治兵衛さんが亡くなられたのが、昭和八年(1933)十二月二日です。お歳は七十四才でした。このときだって大阪の鰻谷の住友吉左衛門の旧邸・京都の都ホテル・東京の小倉正恒、それに大徳寺の庭などを作られ、精力的に活躍されていました。その間四十年間休む暇もなく続々と名園を作りあげられていたわけで、これからこういう方はもう滅多に出ないのではないでしょうか。

　生まれは、山城国乙訓郡西神足村の馬場というところで、山本弥兵衛さんの次男でした。幼名は源之助といわれていたようです。もともと植木屋ではなくて普通の農家だと思います。

　明治十年(1877)といいますから源之助十八才のときに、京都の東山岡崎の小川家に婿養子となられそれからわずか三年後の二十一才で、小川家の家督相続して、源之助は二代目小川治兵衛ということになるわけです。だから私たちが小川治兵衛といっているのは、実は二代目にあたるわけです。

　植治さんは単に庭作りに堪能であっただけでなく、人間としての生き方でも庭作りの方でも哲学をもっていた方だと思います。小川家の菩提寺の昌蔵院(本坊は滋賀県)の住職さんで島尾徳庵さんという禅をよくやる方がおられて、植

治さんはこの徳庵さんを大変に尊敬されていた
そうです。いつのことでしたか徳庵さんが植治
さんの家に来られたことがあるそうです。この
とき植治さんは「いつもあなたはよい事を話し
て下さる。そこで何かをこれに書いて下さい」
と色紙を出されたそうです。このとき徳庵さん
は「別に工夫なし」と墨書されたときいていま
す。植治さんの作庭理念の始めは、遠州流だっ
たときいていますが、実際は植治流ともいうべ
き独特のもので、植治さんはこの「別に工夫な
し」を哲学として作庭につとめられたときいて
います。

　また、植治さんは仲々の自信家で、自分でよ
いと思われた事は相手が誰であろうと主張され
たそうです。造園は建築と同じようにお施主さ
んの注文と意向をうけて作るわけですから、口
で言うのは易いですが、実際には仲々にできる
ものではありません。ある日高松宮さんの御所
に植治さんが行かれたことがあるそうです。こ
のときお若い宮さんは「小川、水なんかやめて
芝生にしてくれ」と申されたそうです。ご承知
のように植治さんは池や遣水のある庭をよく作
りましたから、宮さんもそうおっしゃったので
しょう。このとき植治さんはこう話されたとい
うことです。

　「殿下、じじの顔を見て下さい。私の顔の眉は
うすうございます。眉のうすい顔はぼやけてみ
えます。庭でも同じで山あり谷あり水があって
始めて景色がよいのです。自然を無視した庭に
は小川は合点がいきません」

　ここには作庭の哲学がありますね。

　植治さんは、もちろんひとりでやられていた
わけではありません。考えてみますと、植治さ
んはなかなかの組織家なんですね。植治さんは
それをつくりあげ、その上に立って仕事をされ
ていたのです。いわば「植治」という組織の幹
部なのです。岩城造園の岩城亘太郎さんもこの
中のひとりだったわけで、百人近い人が会員だ
ったことが知られています。

　植治さんは、住友・長尾・山縣・西村・西園
寺・岩崎・奥村・野村・山下・村井・古川など
の政財界の主な人はもちろんのこと、大正元年
(1917)以後は御大典を契機として宮内省関係の
仕事に携わり、京都御所内はもちろんのこと桂
離宮・修学院離宮・仙洞御所など、京都の中の
主な庭園はすべて手がけておられます。自分で
やらなくても指示されたものもあるでしょう。
その管理能力たるや物すごいものです。こうい
う事ができたのはきちんとした組織があって、
それを背景として上手に営業をされた点もある

からではないでしょうか。まぁどちらにしても京都の現代の庭はいろいろと紹介されますけれど、植治さんの影響ぬきにしては考えられませんね。

この小川治兵衛さんが昭和八年の終わりごろに亡くなられ、その後しばらくして日本は戦争に入ってしまうわけです。それと同時に京都の造園家集団は、東山から右京区の鳴滝・嵯峨野・山越、それに金閣寺近くの小松原などに、その中心を移してしまうわけです。これは多分、東山方面には技術者もいなくなりましたし、それに市街化が進んで材料も少なくなったからだと思います。

いろいろと申しあげて参りましたが、現代に生きる庭師の一人として、私がお話ししたかったことは、要するに庭は生きものだということなんですね。

あたり前のことなのですが、そこに人間がいてはじめて、庭は庭であるわけです。立派な庭を作ろうとすれば、母親が子供を育てるのと同じような、細やかな情愛が必要なんですね。

いくら庭師の腕がすぐれていても庭師の力だけでは庭は育ちません。良い庭を作ろうとする庭師の心と、施主の心が一つになって協力し合い、地道な管理の手が加え続けられることによって、はじめて庭は生々と、庭として完成されて行くものなんですね。

GARDENS OF KYOTO FROM THE POINT OF VIEW OF A LANDSCAPE ARCHITECT

Teiji Itoh and Masatomo Okuda

(The following comments on the basic ideas of Kyoto garden design are taken from the informal remarks of Mr. Masatomo Okuda, a landscape architect in Kyoto. They have been collected and slightly edited by Mr Teiji Itoh.)

The history of the gardens of Kyoto is long. It is more than one thousand years, dating from the Heian period. But the most influential architect in recent years was Ogawa Jihei, popularly called Ueji among us garden architects, who constructed the landscape garden of the Heian Jingu Shrine in 1893 when he was 34.

About him there are many interesting episodes. Let me introduce one of them. Ueji was self-confident. He insisted on his own ideas to everybody. A landscape architect, as you all know, constructs the garden under the request and desire of the client. So it is only on rare occasions that his own ideas are fully realized. One day when Ueji was called to the palace of Prince Takamatsu, he was asked by the Prince to construct a garden with a lawn, rather than one with a pond and brook in it. Perhaps the Prince knew that the gardens which Ueji had made usually included a pond, and he wanted a different type of garden.

Ueji then answered the Prince, so the story goes: "Your Highness, please look at my old face. My eyebrows are thin. A face with thin eyebrows looks unimpressive. It's the same with a garden. A garden can present an impressive scene only when it has a mountain, a valley, and water in it, just like natural scenery. I cannot accept the idea of a landscale garden which disregards nature." Here is the representative philosophy of a garden architect of Japan: to represent the beauty of nature as it is — this is the heart of the garden.

In connection with the lawn we can find a typical Japanese idea, or the idea of Kyoto. In the Nijo Castle there is a lawn garden. But the lawn used in Nijo Castle does not have Korean lawn grass which you often see in the gardens of Japanese private houses. The lawn grass of Nijo Castle is wild lawn grass which is found on the banks of rivers or in the open space of mountains. This wild lawn grass turns a beautiful yellow in fall. So it is used often at the waterside to fortify the bank, as in the Katsura Imperial Villa or in the Sento Palace, both for practical purposes and for entertaining the eye in different seasons. Ordinary Korean lawn grass does not fit such a purpose.

Whether Korean or wild, Japanese lawn grasses

are different from European and American lawn grasses whose pointed leaves are always green throughout the year and need constant mowing. The leaves of our lawn grasses wither in cold seasons. Wild lawn grasses turn yellow in fall and the people of Kyoto regarded this as extremely attractive and used them in their gardens.

However, in the gardens of Kyoto more emphasis is put on moss. There are varieties of moss. *Jigoke* is a variety of moss which grows on the soil as the climate of the Kyoto Basin is fit for its growth. *Sugigoke* (haircap moss) is often found in the gardens of temples and houses. It is not a natural growth, so it has to be transplanted. In the Kanto district (the area around Tokyo) it rarely grows because of the soil and climate there, while in the Tokai (the central area between Kyoto and Tokyo along the Pacific Ocean) and in the Hokuriku and San'in district (among areas on the Sea of Japan to the north-west of Kyoto) *sugigoke* grows well if good care is taken. It's quite understandable that the people of Kyoto feel more intimacy to moss which grows in its own way, rather than to lawn grass.

Usually we water moss, trees, and grass in the garden and sometimes fertilize them in midwinter.

But we do not put fertilizer on moss. It's not that we need not, but that we *should* not. I have heard that at one of the sub-temples of Myoshinji Temple all the *sugigoke* turned red and became miserable to look at because of the fertilizer. If fertilizer is put on, *sugigoke* grows too tall and breaks if it is stepped on.

You have to be careful even about the watering too: you have to know whether it is water from a well, or water from a brook or from the irrigation, or the water from the waterworks. Of these the best is the water from a well. Even the water taken from a brook or from irrigation canals contains some elements of fertilizer and causes *sugigoke* to grow too tall. If tended by the water from a well *sugigoke* remains short and has a beautiful green. Water from the waterworks, to say nothing of chemical fertilizer, only damages *sugigoke*.

This problem of watering is an example of the subtle changes of the world or the environment. Even in Kyoto adopting what seemed to be the inherited way may lead to damage or failure. If you observe carefully you will find that we are not simply repeating the old ways.

To represent the beauty of nature as it is, this is important, as I said. But to create a garden in accordance with natural law is also the central idea of the garden architecture of Japan, particularly of Kyoto.

Let me cite another example from trees in Kyoto. To be sure, there were trees which were suitable to the climate of Kyoto or to the gardens of Kyoto. In ancient Kyoto, it seems, broadleaved trees were common, but after cutting them down people planted the Japanese red pines which are observable now on all the mountains in Kyoto. So, the trees suitable to the climate of Kyoto have changed as time went on. Yet there are some trees which have been considered suitable to the gardens of Kyoto throughout various ages. They are, I think, the *matsu* (pine), the *sugi* (Japanese cedar), the *maki* (Chinese black pine), the *aoki* (Japanese laurel), the *mokkoku* (an evergreen of the theaceous family), the *asebi* (pieris japonica), the *arakashi* (quercus glauca), and the *bishako*.

In Nishi-Honganji Temple and Katsura Villa there are *sotetsu* (sago palm), which were brought into Kyoto in the Momoyama period or in the early Edo period. In winter you have to wrap their trunks with straw, as they are originally trees of the sub-tropics. They are troublesome trees indeed, but they were used perhaps because of their novelty.

In the Meiji period fir trees began to be used. Fir trees were originally not found in Kyoto as they are trees of the Tohoku district (the northern area of Honshu). They grow very tall. So they cannot be used in the gardens of private houses in the city. But they are suitable to a large villa like the Murin'an. After fir trees were first used in the Murin'an they were planted also at the Shugakuin Villa, the Katsura Villa, and the Imperial Palace because these gardens are large.

Moreover, the Murin'an is close to Nanzenji Temple and outside the garden you can see a lot of pine trees of the Higashiyama Mountains. So pine trees were felt, I believe, to be unnecessary within the garden of Murin'an and instead fir trees were planted within. In short, in choosing the trees for the garden, the landscape around the garden is taken into consideration and, as a result, fir trees were chosen as a contrast.

Seen in this light, there are some elements of the garden that have never suffered changes and others that have been changed little by little or that have been introduced as novelties. These changes suggest that the gardens are alive. Because the gardens are alive in reality they cannot be contained in one form. As Ueji says very often, we cannot disregard Nature.

In gardens connected with a Tea-ceremony house we do not plant trees which bear blossoms, lest these blossoms should compete with flowers in the *tokonoma* alcove of the Tea House. This suggests why the trees which put forth blossoms are not usually planted in the garden of a house.

Let me give you an interesting episode of Rikyu, the Master of Tea Ceremony. In the Momoyama period, Hideyoshi, the then Shogun, heard about the beautiful morning glories in bloom in the garden of Rikyu and he wanted to see them. This is quite a famous story. Do you know how it came out? Hearing the wishes of the Shogun, Rikyu picked away all the flowers of the morning glories except for a single flower, which he put in a vase in the *tokonoma* of his Tea House. This does not indicate Rikyu's ill-nature. He wanted to emphasize impressively the beauty of the flower of the morning glory. The tradition of not planting within the garden any tree that bears blossoms can be traced to this episode.

Nowadays cherry trees are disliked by the clients for a different reason. Their petals are hard to deal with after falling down on the earth. And if the tree is planted close to a neighbor's house or the road its worms cause trouble with the neighbors or with the passersby. So clients ask us not to plant cherry trees. Maple trees and other deciduous trees are also disliked these days because of a similar reason, and evergreen trees are preferred instead. It's simply because sweeping the fallen leaves is troublesome. Those who have the sense to enjoy the beauty of the trunks and twigs after the leaves or the petals are gone are the sensitive specialists or large-hearted persons of good taste.

As for stones and rocks, there are also various kinds to be used for gardens. But generally, stones from Kyoto and its vicinity and stones from nearby prefectures, especially Kishu (Wakayama Prefecture) are preferred. *Kuramaishi* stones are favored among others as stepping stones in the garden, because they are indescribably beautiful with rusty color. As you all know, stepping stones are used in odd numbers. The important thing is, of course, the distance between the stones, but easiness to step on them is also an important factor. So, I usually walk along the path myself before deciding on the places to put the stepping stones.

Of course stepping stones must be placed in a way easy to step on. And they must also be placed in a good form as a whole. In order to achieve these purposes good stones and rocks must be chosen out of many possible stones. If so, you might think that many stones will be left unused. But don't worry, because I choose the stones according to the design and bring only those stones that I think are needed. In my case, even if unused stones are left they will be only a few and can be used somewhere in the garden.

In the town-houses of Kyoto there are the main building and behind it the detached building or the storehouse. Between these two buildings there is a small, enclosed garden called *senzai* and a passageway called *roka* goes through it to connect the buildings. There is usually a toilet along the passageway. So beside the toilet a stone washbowl called *chozubachi*, or *tsukubai*, is usually placed.

In this small garden the use of water is accepted as natural and trees are indispensable. On a hot summer day the shade of the trees is agreeable to the eye and the breeze coming through the watered garden is refreshing, so that the well-tended *senzai* garden, full of trees and moss, is still the favorite in the town-houses of Kyoto. But care-taking by a gardener is required once or twice a year. Different from sculptures and paintings, gardens are alive and they change according to the seasons. Good ad-ministration is necessary by all means.

Unlike Western gardens, the Japanese garden has no two stones or trees of the same size or form. In the West materials are given artificial treatment in form and size. While in Japan natural form is considered to be ideal and stones, rocks, and trees are used as they are found in the rivers and the mountains.

What this means is that a newly constructed garden needs some time to become mature as a landscape garden. An artificial construction, generally speaking, such as a landscape garden, becomes natural, or part of nature, only five or ten years after the construction. This is inevitable. But these days our clients ask us impatiently to make a ten-year-old garden. It's impossible, you know. You have to wait for ten years so that the garden gets old and becomes part of nature. Unless our client understands this no garden architect can create a good garden.

京の庭　*KYOTO GARDENS*

Seasonal Images in Moss and Stone

発　行	平成元年4月8日
写　真	山本建三
文	伊藤ていじ
発行者	本田欽三
発行所	株式会社光村推古書院
	604 京都市中京区麩屋町通二条上ル
	TEL 075(222)0361
	FAX 075(222)0770
	振替京都6-2336
印　刷	日本写真印刷株式会社

© *Kenzo Yamamoto & Teiji Itoh Printed in Japan. 1989*

ISBN4-8381-0087-6